José Maréchal

# verrines

Photographies de Akiko Ida

MARABOUT

# sommaire

GOURMANDISES

# astuces

## Les ustensiles

Pour créer avec délicatesse les couches successives dans vos verrines, plusieurs solutions s'offrent à vous, selon la consistance des ingrédients. La poche à pâtisserie sera idéale pour les mousses, crèmes, caviars de légumes, taramas, tapenades et autres préparations assez souples. Pour les ingrédients plus épais, les céréales, légumes ou fruits taillés, utilisez plutôt une cuillère à moka (petite cuillère à café), une cuillère à glace ou à soda (plus longue), en fonction du diamètre et de la hauteur du verre. Enfin, pour les préparations plus liquides, telles qu'un pistou, un fromage blanc, un sirop ou une crème anglaise, une poire à jus sera plus précise et facile à manier qu'une cuillère.

## Les verrines jetables

Inutile de paniquer si vous avez besoin de réaliser un certain nombre de verrines pour un buffet ou un grand nombre d'invités. Si vous n'avez pas le nombre de verres suffisant, les acheter uniquement pour un événement serait onéreux, et la vaisselle inutilement fastidieuse. On trouve facilement dans le commerce des verres en plastiques jetables, gobelets, verres à vins, petits pots à sauce ou flûtes à champagne qui, pour un coût dérisoire, feront très bien l'affaire et raviront vos invités par leurs couleurs et leur diversité.

## Le croustillant et le craquant

Inutile d'être un grand cuisinier ou de passer un temps fou pour réaliser des verrines originales et savoureuses (voir verrines en kits). Il suffit d'utiliser des biscuits secs, sucrés ou salés, achetés dans le commerce pour réaliser des couches successives, des miettes façon crumble, de la poudre de biscuits ou simplement pour agrémenter vos verrines de crackers, gressins, pain d'épice, spéculos, sablés bretons, cigarettes russes, tacos, etc.

## Taillage et montage

Pour tailler les biscuits ou réaliser des cercles au diamètre du verre, il vous suffit d'utiliser un emporte-pièce de pâtisserie ou, plus simplement, un verre retourné que vous pressez sur le biscuit en tournant délicatement. Vous pourrez ainsi intercaler des couches craquantes dans vos verrines.

## Astuce pratique

Si vous voulez prendre de l'avance pour un buffet ou une soirée que vous avez programmé, utilisez des bacs à glaçons, ou des plaques de silicone pour réaliser des glaçons de pistou, tapenade, coulis, mousses, etc. Vous n'aurez plus qu'à les démouler le jour de votre dîner, rajouter les derniers ingrédients et vos verrines minute seront prêtes en un tour de main !

# Crumble niçois au fromage de chèvre

Pour 4 à 6 verrines

**Miniratatouille**

1 belle aubergine

2 courgettes

1 poivron rouge

3 tomates

1 oignon

2 gousses d'ail

1 branche de thym et de romarin

1 verre d'huile d'olive

**Crème de fromage**

120 g de fromage de chèvre frais

10 cl de crème liquide

2 c. à soupe d'huile d'olive

2 belles pincées de sel

2 pincées de poivre

**Pâte à crumble**

200 g de farine

100 g de beurre

2 pincées de sel

1 jaune d'œuf

Confectionner la pâte à crumble. Du bout des doigts, mélanger le beurre mou, la farine, le jaune d'œuf et le sel. Sabler la pâte sans la pétrir et réserver au froid 15 minutes.

Pendant ce temps, tailler en petits dés l'aubergine, les courgettes et le poivron. Chauffer un peu d'huile d'olive dans une poêle. Y faire revenir vivement chaque légume séparément, puis les réserver dans une passoire. Dans la même poêle, faire revenir à feu doux l'oignon et l'ail hachés, le thym et le romarin en branche. Peler et épépiner les tomates, les couper en petits dés. Remettre les légumes égouttés dans la poêle, ajouter les dés de tomates, assaisonner et cuire encore 1 à 2 minutes à feu doux. Laisser refroidir.

Pendant ce temps, préchauffer le four thermostat 6 (180 °C) et réaliser la crème de chèvre. Tiédir légèrement la crème liquide, émietter le fromage dans un saladier et verser progressivement la crème en mélangeant à l'aide d'une spatule en bois. Incorporer l'huile d'olive, saler et poivrer.

Étaler les miettes de pâte sur une plaque à pâtisserie ou un plat à tarte et cuire à four chaud jusqu'à coloration.

Pour réaliser les verrines, retirer le thym et le romarin de la miniratatouille, la disposer au fond des verres, puis la crème de chèvre, à l'aide d'une poche à pâtisserie ou d'une cuillère à moka, et enfin les miettes de crumble.

# La vache qui rit, jambon et concombre

Pour 4 à 6 verrines

12 portions
de La vache qui rit

3 à 4 tranches de jambon blanc

1 concombre

Tailler le concombre en deux dans le sens de la longueur et retirer le cœur à l'aide d'une cuillère à café. Le couper ensuite en petits dés. Mixer au robot-coupe ou hacher finement au couteau le jambon.

Mettre La vache qui rit dans un petit saladier et travailler le fromage à l'aide d'une cuillère afin d'obtenir une pâte crémeuse.

Alterner enfin à votre guise les couches dans vos verrines.

CONSEIL Cette recette est simple à réaliser ; vous pouvez aussi remplacer le jambon par des crevettes ou du saumon fumé.

# Fromage de chèvre, fruits secs et tomates séchées

Pour 4 à 6 verrines

250 g de fromage de chèvre frais

15 cl de crème liquide

5 cl d'huile d'olive

2 pincées de sel

1 pincée de poivre

120 g de tomates séchées à l'huile

50 g d'abricots secs

50 g de pruneaux

50 g de figues séchées

Égoutter les tomates séchées et les réduire en purée au mixeur. Couper les fruits secs en petits dés et les mélanger.

Émietter le fromage de chèvre dans un saladier. Faire tiédir la crème liquide, puis travailler ensemble, à la fourchette, le fromage, la crème et l'huile d'olive, afin d'obtenir une pâte crémeuse. Saler et poivrer.

À l'aide d'une cuillère à moka, alterner dans vos verrines une couche de crème de fromage, une de purée de tomates séchées, à nouveau une couche de crème de fromage, enfin les fruits secs et, pour terminer, une dernière couche de crème de fromage.

# Boudin noir, spéculos et bananes épicées

Pour 4 à 6 verrines

- 2 boudins noirs
- 2 bananes
- 30 g de beurre demi-sel
- 1 c. à café de sucre roux en poudre
- 1 paquet de spéculos
- 2 pincées de curry en poudre
- 2 pincées de gingembre en poudre
- 2 pincées de ras el-hanout en poudre

Éplucher les boudins noirs, émietter la chair à la fourchette et cuire à feu doux sans cesser de remuer pendant 2 à 3 minutes. À l'aide d'une cuillère, disposer la chair de boudin au fond des verrines.

Écraser les spéculos dans un récipient à l'aide d'un rouleau à pâtisserie ou les mixer au robot-coupe pour les réduire en poudre.

Couper les bananes sans les éplucher en tranches épaisses. Faire fondre le beurre dans une poêle, ajouter les épices, le sucre roux et mettre les rondelles de bananes à dorer 1 minute sur chaque face.

Si nécessaire, réchauffer au micro-ondes les verrines garnies de boudin, répartir au-dessus la poudre de spéculos et, pour terminer, disposer les bananes épicées. Servir aussitôt.

# Noix de Saint-Jacques et boudin noir, pommes vertes

Pour 4 à 6 verrines

4 à 6 belles noix de Saint-Jacques

2 boudins noirs

2 pommes vertes (type granny smith)

1 c. à soupe de sucre roux en poudre

10 g de beurre demi-sel

1 c. à soupe d'huile d'olive

3 pincées de sel de Guérande

poivre du moulin

Éplucher les pommes, les épépiner et les couper en petits quartiers. Faire fondre le beurre à feu doux avec le sucre, ajouter les pommes, couvrir et cuire à feu très doux 5 à 6 minutes (les pommes ne doivent pas se colorer), puis mettre au froid.

Éplucher maintenant les boudins noirs, émietter la chair à la fourchette et cuire dans une poêle à feu doux sans cesser de remuer pendant 2 à 3 minutes. Disposer au fond des verrines la chair de boudin à l'aide d'une cuillère, puis les quartiers de pommes cuites et mettre au froid.

Au moment de servir vos verrines, poêler les noix de Saint-Jacques dans l'huile d'olive très chaude, 1 minute sur chaque face. Réchauffer vos verrines au micro-ondes ou au bain-marie à feu doux et disposer une noix de Saint-Jacques par verrine. Une pincée de sel de Guérande, un coup de moulin à poivre pour terminer. Servir aussitôt.

CONSEIL Vous pouvez, à votre goût, ajouter aux pommes un peu de poivre de Sechuan.

# Billes de melon et pastèque au porto, gressins au Parme

Pour 4 à 6 verrines

- 1 melon
- 1/4 de pastèque
- 50 g de beurre demi-sel
- 6 tranches fines de jambon de Parme
- 1 paquet de gressins
- 25 cl de porto rouge
- 50 g de sucre semoule

Sortir le beurre du réfrigérateur à l'avance pour qu'il soit mou. Réaliser le sirop de porto en mettant dans une petite casserole le sucre et le porto et en chauffant doucement pour réduire de moitié, laisser refroidir.

Réaliser maintenant les boules de melon et pastèque en vous servant d'une cuillère à boule parisienne (des petits cubes peuvent aussi faire l'affaire). Couper les tranches de jambon, dans la longueur, en trois bandes. À l'aide d'un pinceau, badigeonner les gressins sur la moitié de leur longueur avec le beurre mou, puis enrouler les bandes de jambon. Mettre au froid.

Pour réaliser les verrines, disposer les boules de melon et pastèque dans les verres. Au moment de servir, ajouter les gressins, puis verser le sirop de porto.

CONSEIL Attention ! Les gressins absorbent l'humidité des fruits et du porto et peuvent se casser : attendre le dernier moment pour les disposer ou les servir à part.

All

# Coquille d'œuf mimosa

Pour 4 à 6 verrines

**6 œufs**

**250 g de mayonnaise**

**sel et poivre blanc**

Cuire les œufs dans une eau salée bouillante pendant 10 minutes puis refroidir sous l'eau froide. Les écaler ensuite, séparer les blancs des jaunes.

Écraser les blancs à l'aide d'un tamis ou d'une passoire fine, et les jaunes à la fourchette, dans deux bols différents. Ajouter dans chacun la moitié de la mayonnaise et mélanger afin d'obtenir deux pâtes crémeuses. Saler et poivrer.

Pour réaliser les verrines utiliser une poche à pâtisserie ou des cuillères à moka et alterner les couches de blanc et de jaune.

CONSEIL Vous pouvez décliner cette recette simple en ajoutant des herbes fraîches ou des épices au jaune d'œuf.

# Coquillettes, mâche, roquefort et poires

**Pour 4 à 6 verrines**

- 100 g de coquillettes
- 1 barquette de mâche
- 3 poires pochées
- 80 g de roquefort
- 10 cl d'huile d'olive
- 5 cl de vinaigre balsamique
- sel
- poivre du moulin

Cuire les coquillettes « al dente » et rincer à l'eau froide.

Pendant ce temps, couper les poires et le roquefort en petits dés (garder l'extrémité des poires avec la queue pour décorer vos verrines), puis effeuiller la mâche et mélanger délicatement tous ces ingrédients avec les coquillettes dans un saladier.

Réaliser une vinaigrette avec l'huile d'olive, le vinaigre balsamique, le sel et le poivre.

Disposer dans les verrines la salade de coquillettes, décorer avec les extrémités des poires et des pousses de mâche. Arroser de vinaigrette au moment de servir.

# Trio de foie gras et fruits

**Pour 6 à 12 verrines**

120 g à 250 g de foie gras mi-cuit « au torchon »

sel de Guérande

poivre du moulin

MARMELADE DE POIRES (2 À 4 VERRINES)

2 à 3 poires

1 c. à soupe de miel

3 pincées de cannelle en poudre

MARMELADE D'ABRICOTS (2 À 4 VERRINES)

250 g d'abricots

70 g de sucre roux en poudre

le jus d'1/2 citron

3 pincées de gingembre en poudre

MARMELADE DE FIGUES (2 À 4 VERRINES) :

200 g de figues

70 g de sucre roux en poudre

1/2 branche de romarin

5 cl de porto

Acheter un bon foie gras mi-cuit « au torchon » en forme de boudin (pour faire de belles tranches rondes).

Pour les marmelades, utiliser trois petites casseroles. Couper les fruits en gros dés et cuire à feu doux 7 à 8 minutes en remuant avec le sucre ou le miel et, pour chaque fruit, l'épice ou l'ingrédient approprié. Laisser refroidir 1 heure.

Disposer dans chaque verrine un peu de l'une des marmelades de fruit et, au moment de servir, une tranchette de foie gras, quelques grains de sel et un tour de moulin à poivre.

CONSEIL Vous pouvez servir avec vos verrines des gressins au sésame ou des petites tranches de pains aux fruits secs toastés.

# Caviar d'aubergines, ricotta et coppa

Pour 4 à 6 verrines

- 2 belles aubergines
- 2 oignons
- 5 gousses d'ail
- 1 branche de thym
- 1 c. à café de concentré de tomates
- un petit verre d'huile d'olive
- 50 à 80 g de ricotta
- 5 à 6 tranches de coppa
- sel
- poivre

Couper les aubergines dans le sens de la longueur, quadriller leur chair avec un couteau, puis les disposer dans un plat pouvant aller au four. Éplucher et couper grossièrement les oignons et l'ail, en parsemer les aubergines, puis arroser d'huile d'olive. Saler et poivrer, ajouter le thym effeuillé et enfin enfourner à four chaud (200 °C) pendant 25 minutes.

Une fois refroidies, retirer la chair des aubergines à l'aide d'une cuillère à soupe. Ajouter l'oignon et l'ail et mixer au robot-coupe en ajoutant le concentré de tomate et un peu d'huile d'olive si nécessaire. Mettre au froid.

Répartir le caviar d'aubergines dans vos verrines à l'aide d'une cuillère à café ou d'une poche à pâtisserie, puis la ricotta, et enfin la coppa, soit en rosace, soit émincée en fines lamelles.

# Quinoa au citron, pistou de roquette et œufs de saumon

Pour 4 à 6 verrines

- 100 g de quinoa
- 10 cl de jus de citron
- 5 cl d'huile d'olive
- 2 pincées de sel et poivre
- 150 g d'eau

PISTOU DE ROQUETTE

- 120 g de roquette
- 1 botte de basilic
- 4 gousses d'ail
- 30 g de parmesan en poudre
- 30 g de pignons ou d'amandes
- un petit verre d'huile d'olive
- 50 à 70 g d'œufs de saumon
- 1 petit pot de crème épaisse

Mettre le quinoa dans une casserole avec l'eau froide, le sel et le poivre. Démarrer la cuisson à feu vif jusqu'à ébullition, puis baisser à feu doux. Remuer, couvrir et laisser cuire jusqu'à évaporation de l'eau, enfin ajouter le jus de citron et l'huile d'olive. Laisser refroidir hors du feu, en remuant de temps en temps.

Pendant ce temps, mettre la roquette, le basilic effeuillé, l'ail épluché (ôter le germe), le parmesan et les pignons dans le bol du robot et mixer en ajoutant progressivement l'huile d'olive. Verser dans un bac en plastique et mettre au froid.

Alterner les couches de quinoa, de pistou et d'œufs de saumon, différemment selon les verrines et, au moment de servir, ajouter une petite quenelle de crème épaisse.

# À l'italienne

Pour 4 à 6 verrines

60 g de tapenade d'olives noires

50 g de pistou

4 tomates en grappes

60 g de tomates séchées

1 à 2 boules de mozzarella « di buffala »

Couper les tomates en quartiers, les épépiner et les couper en petits dés. Mixer les tomates séchées au robot-coupe et mélanger la purée obtenue avec les dés de tomates fraîches.

Couper des tranches fines de mozzarella et, à l'aide d'un emporte-pièce ou d'un verre retourné, tailler des cercles du diamètre des verrines.

Monter successivement dans vos verrines les couches de tapenade, tomates, mozzarella et pistou, quelques gressins pour accompagner et le tour est joué !

# Perles du Japon au saumon fumé et guacamole au cumin

Pour 4 à 6 verrines

80 g de perles du Japon (tapioca)

3 c. à soupe d'huile d'olive

4 tranches de saumon fumé

3 avocats

1 c. à café rase de cumin en poudre

3 pincées de sel

poivre

le jus de 2 citrons

3 pincées de sel

poivre

Cuire le tapioca à l'eau bouillante salée (comme des pâtes), puis rincer à l'eau froide. Mélanger avec l'huile d'olive, le jus d'un citron, le sel et le poivre puis garder au froid.

Couper le saumon fumé en petits dés.

Éplucher les avocats, leur ôter le noyau et les mixer au robot-coupe avec le jus d'un citron, le cumin, le sel et le poivre.

Dans vos verrines, alterner les couches de tapioca, saumon fumé et guacamole, ou mélanger le tapioca au saumon. (Pour le guacamole, utiliser de préférence une poche à pâtisserie.) Mettre au frais 30 minutes. Servir très frais.

# Neuf kits salés pour gourmands pressés

## Gaspacho de légumes aux glaçons de fruits

Réaliser des glaçons de jus ou coulis de fruits et donner une touche fruitée et glacée à vos jus de légumes : carottes/ananas, poivrons/framboises, betteraves rouges/oranges, concombres/fraises.

## Duo de taramas, crackers

Associer différents taramas (cabillaud, saumon) en couches successives et au moment de servir rehausser de croustillant avec des morceaux de crackers.

## Boursin, tomates et tapenade

Travailler le Boursin dans un bol afin de le rendre crémeux, couper les tomates en petits dés, créer les verrines avec la tapenade d'olives noires, en jouant avec les couleurs.

## Concombres, fromage blanc et menthe

Très agréables l'été, bien frais, des petits cubes de concombres ajoutés au crémeux du fromage blanc et à la fraîcheur de la menthe pour une verrine très « *light* ».

## Surimi, tzatziki et cacahuètes (façon crumble)

Une verrine crémeuse et croustillante, très simple à réaliser. Recouvrir des miettes de surimi avec du tzatziki et des cacahuètes concassées, et savourer.

## Feta et olives, coulis tomates-basilic

Mélanger simplement des cubes de feta marinée à l'huile avec des olives parfumées, détendre une sauce tomates-basilic avec un peu d'eau, dont vous napperez vos verrines juste avant l'apéritif !

## Hoummous et purée de carottes, tacos

Cette fine purée de pois chiches libanaise, associée à une douce mousseline de carottes et surmontée de tacos épicées, ravira vos invités.

## Crevettes au St-Môret, curry et mangues

Et pourquoi pas un peu d'exotisme ? Quelques crevettes roses décortiquées, du St-Môret crémeux adouci par quelques petits cubes de mangues et rehaussé d'un curry indien.

## Fromage blanc aux œufs de lump, flûte au sésame

Blanc, rouge, noir... Des verrines simples à réaliser, hautes en couleur, pour animer la table.

# Tiramisu

Pour 6 à 8 verrines

- 50 cl de café
- 100 g de sucre
- 18 à 24 biscuits à la cuillère
- un petit verre d'Amaretto
- 3 œufs
- 250 g de mascarpone
- 50 g de sucre
- 3 c. à soupe de cacao en poudre

Verser le café tiède dans un bol, ajouter le sucre et bien mélanger. Tremper les biscuits dans le café et les disposer dans le fond des verrines (3 par verrine). Presser du bout des doigts pour réaliser une couche bien imbibée et uniforme, ajouter l'Amaretto selon votre goût. Mettre les verrines au frais.

Séparer les jaunes des blancs d'œufs et les mettre dans deux saladiers distincts. Fouetter les jaunes avec la moitié du sucre jusqu'à ce que le mélange blanchisse puis incorporer le mascarpone énergiquement pour qu'il n'y ait pas de grumeaux. Battre les blancs en neige, ajouter le reste du sucre et fouetter à nouveau pour raffermir les blancs. Incorporer délicatement à la spatule les blancs en neige avec le mélange jaunes-sucre-mascarpone.

Il ne reste plus qu'à remplir les verrines de cette crème et réserver au froid pendant au moins 2 heures. Juste avant de servir, saupoudrer de cacao.

OCOLAT MEN

# Riz au lait, framboises et spéculos

Pour 6 à 8 verrines

25 cl de lait entier
15 cl de crème liquide
90 g de riz rond
115 g de sucre en poudre
1 gousse de vanille
250 g de framboises
2 feuilles de gélatine
1 paquet de spéculos

Mettre à chauffer le lait, la crème et 60 g de sucre à feu moyen. Rincer le riz à l'eau froide et, juste avant l'ébullition, l'ajouter au mélange crème-lait, ainsi que la gousse de vanille fendue en deux dans la longueur. Cuire à feu doux en remuant souvent pour que le riz n'attache pas au fond de la casserole. Mettre le riz au lait à refroidir dans un récipient en plastique.

Pendant ce temps, faire tremper les feuilles de gélatine dans de l'eau froide pour qu'elles ramollissent. Verser dans une casserole les framboises, 75 g de sucre et 2 cuillères à soupe d'eau. Chauffer légèrement à feu doux, puis ajouter la gélatine et mélanger jusqu'à ce qu'elle soit dissoute.

Réserver au froid le riz et les framboises 45 minutes au minimum.

Mixer les spéculos, ou les écraser avec un rouleau à pâtisserie, pour en faire de la chapelure.

Pour transformer le tout en verrines, disposer au fond de chaque verre une couche de riz au lait, puis une couche de framboises, et terminer par la poudre de spéculos.

# Müesli de fraises au mascarpone

**Pour 6 à 8 verrines**

75 g de Müesli aux fruits secs

300 g de fraises

15 cl de coulis de fraises

250 g de mascarpone

50 g de fromage blanc

70 g de sucre glace

Laver les fraises, les équeuter et les couper en morceaux (adaptés à la taille du verre).

Mettre le mascarpone dans un saladier, avec le fromage blanc et le sucre glace, et fouetter énergiquement.

Mélanger les morceaux de fraises avec le coulis et répartir entre les verres. Napper de crème de mascarpone, puis réserver au froid.

Au moment de servir, ajouter le Müesli sur les verrines.

# Crumble d'été aux pommes et aux fruits rouges

Pour 6 à 8 verrines

6 pommes golden
125 g de framboises
60 g de mûres
60 g de myrtilles
75 g de sucre semoule
120 g de sucre roux
60 g de beurre doux
1 jus de citron

PÂTE À CRUMBLE

100 g de farine
100 g de sucre roux en poudre
100 g de poudre d'amande
120 g de beurre demi-sel
1 c. à café de cannelle en poudre

Éplucher, vider et couper les pommes en gros cubes. Dans une casserole, faire fondre le beurre et le sucre roux, ajouter les pommes, remuer et cuire à feu doux sous un couvercle pendant 10 minutes. Débarrasser la compote dans un bac en plastique et mettre au froid.

Pour former la pâte à crumble, incorporer dans un saladier tous les ingrédients et le beurre mou. Sabler la pâte du bout des doigts sans la pétrir, puis mettre les miettes de crumble au froid pendant 15 minutes.

Préchauffer le four thermostat 6 (180 °C). Pendant ce temps, mettre dans une casserole le sucre semoule, les fruits rouges et le jus du citron, et faire compoter à feu doux 2 à 3 minutes. Cuire maintenant les miettes de pâte sur une plaque à pâtisserie ou un plat à tarte jusqu'à coloration.

Pour le montage, alterner dans les verres les couches de pommes et de fruits rouges, ou mélanger ensemble pommes et fruits rouges, et finir, en tout cas, en recouvrant de miettes de crumble.

# Irish coffee choc

**Pour 8 verrines**

12 cl de lait

4 jaunes d'œufs

125 g de sucre semoule

5 feuilles de gélatine

75 cl de crème liquide

1 c. à soupe d'extrait de café

1 petit verre de whisky

150 g de chocolat noir

quelques grains de café en chocolat (facultatif) ou du café en poudre

Réaliser une crème anglaise classique : chauffer le lait à feu doux ; pendant ce temps, dans un saladier, mélanger énergiquement les jaunes d'œufs et le sucre, et mettre les feuilles de gélatine à ramollir dans de l'eau froide ; une fois le lait chaud, le verser sur le mélange œufs-sucre, bien mélanger jusqu'à dissolution et remettre la crème à feu doux (attention la crème ne doit pas bouillir !). Tourner avec une spatule en bois jusqu'à ce que la crème nappe la spatule, alors retirer du feu, ajouter la gélatine, puis l'extrait de café et le whisky et laisser refroidir.

Faire fondre le chocolat noir au bain-marie et, à l'aide d'une cuillère à soupe, former sur une feuille de papier sulfurisé des petits disques de chocolat du diamètre des verrines (compter 2 ou 3 disques par verrine). Mettre au froid.

Quand le chocolat a bien durci, monter en chantilly la crème liquide, au fouet ou au batteur, en réserver le tiers au froid et incorporer délicatement le reste à la crème café-whisky refroidie.

Pour garnir les verrines, disposer une couche de mousse café-whisky, puis un disque de chocolat, et ainsi de suite selon la taille des verrines.

Mettre au froid 1 heure 30 au minimum et, au moment de servir, terminer avec une cuillère de crème chantilly, des grains de café en chocolat ou du café en poudre.

# Minicrèmes brûlées

Pour 12 à 16 verrines

- 75 cl de crème liquide
- 25 cl de lait entier
- 8 jaunes d'œufs
- 125 g de sucre en poudre
- 1 c. à soupe d'extrait de vanille
- 1 c. à soupe d'extrait de café
- 1 c. à soupe de cacao en poudre
- 1 c. à café d'arôme pistache
- 120 g de sucre cassonade
- 1 chalumeau à gaz pour caraméliser les crèmes

Mettre le lait et la crème à chauffer à feu doux-moyen. Dans un saladier, mélanger énergiquement les jaunes d'œufs et le sucre, puis verser dessus le lait et la crème bouillants et bien mélanger.

Répartir la crème obtenue dans quatre saladiers et ajouter dans chacun l'un des quatre arômes. Remplir vos verrines avec les différentes crèmes.

Cuire au bain-marie à four doux, thermostat 2/3 (90 °C), dans un plat à gratin rempli d'eau à mi-hauteur, pendant 1 heure à 1 heure 30, selon la taille de la verrine. Attention la température ne doit pas dépasser 100 °C ! Sitôt les crèmes cuites, les mettre au froid pendant 2 heures au minium.

Au moment de servir, saupoudrer chaque verrine de cassonade et caraméliser à l'aide d'un chalumeau à gaz. Soyez prudent, de façon à ne pas briser le verre.

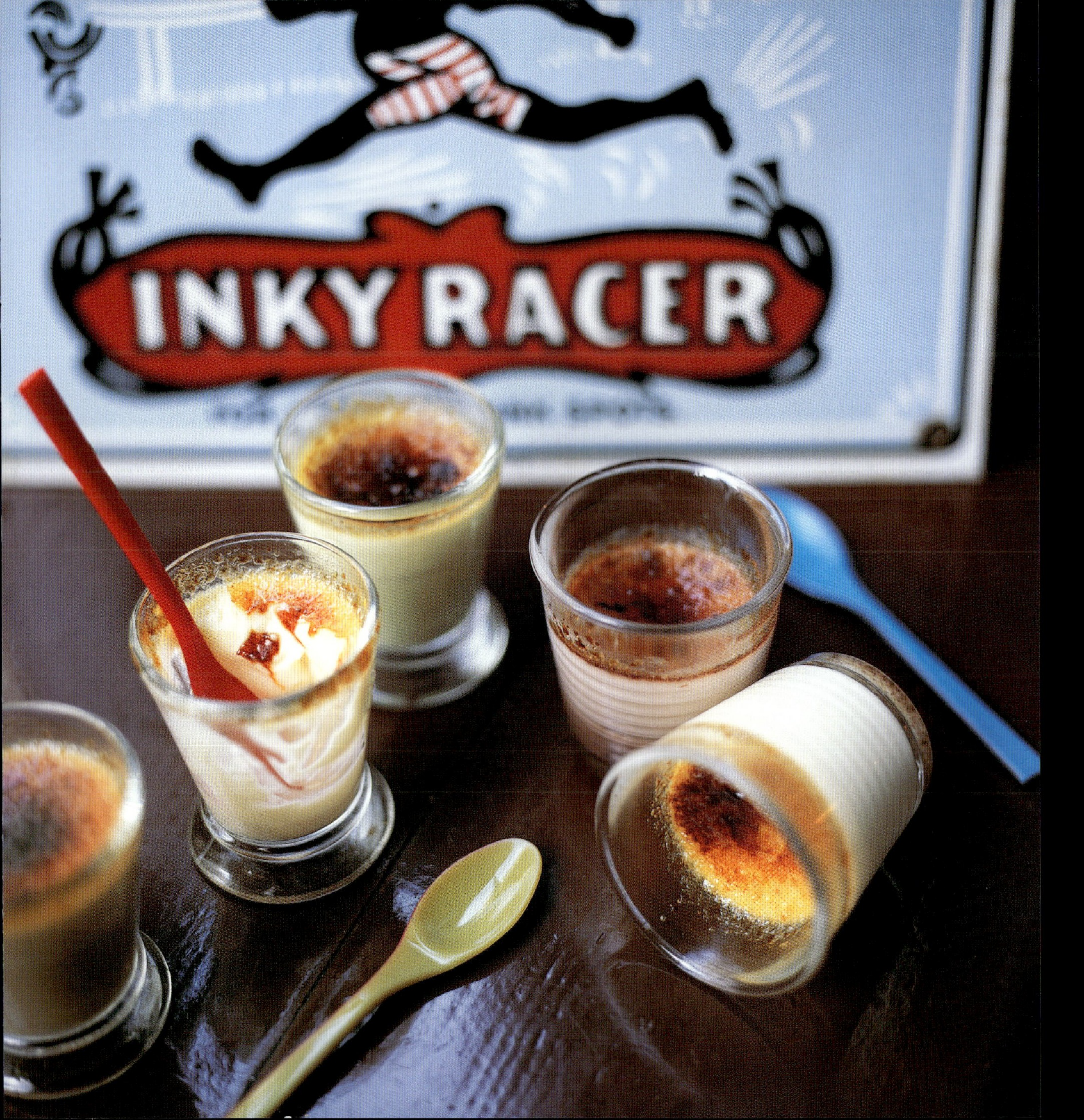
INKY RACER

# Fraises au basilic et au limoncello

Pour 6 à 8 verrines

400 g de fraises
1 botte de basilic
50 g de sucre en poudre
15 cl de limoncello
20 cl d'eau

Laver les fraises, les équeuter et les couper en morceaux (adaptés à la taille du verre).

Mettre le sucre et l'eau dans une petite casserole et chauffer afin d'obtenir un sirop léger. Hors du feu, ajouter le limoncello et laisser refroidir.

Effeuiller et ciseler très finement le basilic, mélanger avec les fraises, puis répartir dans les verrines et baigner de sirop au limoncello.

Servir bien frais avec une feuille de basilic pour le décor.

# Tatin aux bananes, Palmito et crème épaisse

Pour 6 à 8 verrines

- 4 bananes
- 200 g de sucre semoule
- 50 g de beurre doux
- 1 paquet de Palmito
- 120 g de crème épaisse

Éplucher et couper les bananes en rondelles épaisses.

Dans une poêle, répartir le sucre, l'arroser d'une cuillère à soupe d'eau, et chauffer afin d'obtenir un caramel blond. Ajouter alors les bananes et le beurre, et laisser compoter 2 à 3 minutes.

Une fois refroidies, disposer les bananes et la crème épaisse en couches alternées dans les verrines, en les séparant avec des morceaux de Palmito. Servir aussitôt.

CONSEIL Vous pouvez donner un côté antillais à cette recette en ajoutant aux bananes un trait de rhum et des raisins secs.

# Pommes au miel et pain d'épice

Pour 6 à 8 verrines

4 pommes vertes (type granny smith)

4 c. à soupe de miel

40 g de beurre

6 tranches de pain d'épice

Éplucher, épépiner et tailler les pommes en quartiers ou en gros dés.

Mettre le miel dans une poêle et faire caraméliser légèrement. Ajouter les pommes et le beurre, remuer et cuire à feu doux 3 à 4 minutes. Laisser refroidir.

Tailler le pain d'épice en petits dés, ou en cercles en vous aidant soit d'un emporte-pièce, soit d'un verre.

Avec les petits dés, réaliser des verrines façon « crumble » ; avec les cercles alterner les couches de pommes et de pain d'épice.

# Délice du Café Noir

Pour 6 à 8 verrines

MOUSSE CHOCOLAT-CARAMEL

50 g de sucre semoule

25 cl de crème liquide

3 jaunes d'œufs

120 g de chocolat noir

25 cl de crème liquide pour la chantilly

20 g de sucre glace

MOUSSE CHOCOLAT BLANC

150 g de chocolat blanc

12,5 cl de crème liquide

1 feuille de gélatine

12,5 cl de crème liquide pour la chantilly

10 g de sucre glace

1 flacon de sauce ou de claçage au chocolat noir

## MOUSSE CHOCOLAT-CARAMEL

Mettre le sucre semoule dans une petite casserole à feu doux, sans eau, afin de le caraméliser, puis ajouter les 10 cl de crème liquide et remettre à feu doux pour dissoudre l'ensemble. Verser la crème au caramel chaude sur les morceaux de chocolat dans un saladier, bien mélanger pour les faire fondre et ajouter les jaunes d'œufs. Monter maintenant les 25 cl de crème liquide et le sucre glace en chantilly, et incorporer délicatement avec le chocolat-caramel. Remplir les verrines à l'aide d'une cuillère à soupe ou d'une poche à pâtisserie au tiers de leur volume. Mettre au froid.

## MOUSSE CHOCOLAT BLANC

Ramollir la feuille de gélatine dans de l'eau froide. Porter 12,5 cl de crème à ébullition sur feu doux, ajouter la gélatine, puis verser dans un saladier sur le chocolat blanc, mélanger. Monter en chantilly 12,5 cl de crème et 7 g de sucre glace et incorporer délicatement à la crème au chocolat blanc refroidie. Sortir vos verrines et compléter le remplissage aux deux tiers. Remettre au froid.

Pour terminer le montage des verrines, napper de sauce ou de glaçage au chocolat et remettre au froid.

# Trifle d'ananas-mangue-passion et tapioca au lait de coco

Pour 6 à 8 verrines

- 50 cl de lait de coco
- 25 cl de lait entier
- 75 g de sucre en poudre
- 110 g de tapioca (perles)
- 1 bel ananas
- 2 mangues
- 3 fruits de la passion
- 2 boules de sorbet passion
- 125 g de sucre roux en poudre
- 4 feuilles de gélatine

Pâte à crumble

- 100 g de farine
- 100 g de sucre roux en poudre
- 50 g de poudre d'amande
- 50 g de poudre de noix de coco
- 120 g de beurre demi-sel

Mettre le lait de coco, le lait entier et le sucre en poudre dans une casserole à feu moyen. À ébullition, ajouter le tapioca et cuire tout doucement sans cesser de remuer. Laisser refroidir.

Pour la pâte à crumble, mettre dans un saladier tous les ingrédients avec le beurre mou et sabler la pâte du bout des doigts sans pétrir. Placer les miettes de crumble au froid pendant 15 minutes.

Préchauffer le four thermostat 6 (180 °C) et, pendant ce temps, éplucher l'ananas et les mangues, les tailler en gros dés. Chauffer à sec le sucre roux dans une casserole, puis verser les dés d'ananas, cuire 2 à 3 minutes. Ajouter les mangues et les boules de sorbet passion, cuire à nouveau 1 à 2 minutes. Ramollir la gélatine à l'eau froide, puis l'ajouter aux fruits en même temps que la pulpe et les pépins des fruits de la passion. Laisser refroidir.

Cuire maintenant les miettes de pâte sur une plaque à pâtisserie ou un plat à tarte jusqu'à ce qu'elles se colorent.

Pour le montage des verrines, mettre le mélange de fruits au fond du verre puis le tapioca au lait de coco et, juste au moment de servir, les miettes de crumble.

CONSEIL Vous pouvez servir, à part, un coulis de framboises.

# Sablés, lemon & ginger

Pour 6 à 8 verrines

**Sablés**

- 250 g de beurre
- 180 g de sucre en poudre
- 6 jaunes d'œufs
- 250 g de farine
- 18 g de levure chimique
- 2 pincées de sel

**Crème au citron**

- 6 jaunes d'œufs
- 3 œufs entiers
- 75 g de sucre semoule
- 115 g de chocolat blanc
- 15 cl de jus de citron
- 110 g de beurre
- 40 g de gingembre confit

La veille, préparer la pâte sablée : mettre dans un saladier le beurre mou et le sucre et mélanger énergiquement sans faire fondre, puis ajouter la farine, le sel et la levure. Pétrir et ajouter enfin les jaunes d'œufs, pétrir à nouveau et laisser reposer au froid toute la nuit.

Pour préparer la crème au citron, chauffer le jus de citron à feu doux. Battre les 3 œufs, les 6 jaunes et le sucre dans un saladier, puis verser le jus de citron chaud, remettre le mélange à feu doux et cuire jusqu'à épaississement. Hors du feu, incorporer le beurre et le chocolat blanc en morceaux et réserver au réfrigérateur.

Préchauffer le four à thermostat 6 (180 °C). Fariner votre plan de travail, étaler la pâte sablée sur une épaisseur de 2,5 mm et tailler des cercles à l'aide d'un emporte-pièce ou d'un verre retourné. Les disposer sur une plaque à pâtisserie et cuire à four chaud jusqu'à coloration.

Quand la crème au citron est bien froide, assembler les verrines : disposer un sablé au fond du verre, puis la crème citron et le gingembre confit taillé finement, et terminer par un sablé.

CONSEIL Vous pouvez utiliser, plus simplement, des sablés au beurre achetés dans le commerce. Dans ce cas, le temps de préparation se trouvera diminué.

# Sapins de Noël aux Smarties

Pour 6 à 8 verrines

6 à 8 cornets de glaces ou 18 à 24 gavottes

250 g de chocolat noir

1 tube de Smarties

CRÈME CHOCOLAT

20 cl de lait

30 cl de crème liquide

65 g de sucre en poudre

7 jaunes d'œufs

250 g de chocolat noir

Chauffer le lait et la crème dans une casserole à feu moyen. Fouetter les jaunes d'œufs et le sucre dans un saladier, puis verser dessus le lait et la crème bouillants. Mélanger et remettre à feu doux comme une crème anglaise sans qu'elle ne bout puis la verser sur 250 g de chocolat noir en morceaux, tourner avec une spatule pour dissoudre le chocolat et remplir vos verrines (attention le diamètre du verre doit être légèrement supérieur à celui des cornets de glace). Mettre au froid 1 heure au minimum.

Faire fondre les 250 g de chocolat noir restants au bain-marie et, à l'aide d'un pinceau, en recouvrir les cornets de glace ou les gavottes (pour celle-ci, les assembler par trois, de façon à former une pyramide). Coller les Smarties entiers ou en morceaux afin de décorer vos « sapins ». Mettre au froid quelques minutes pour que le chocolat durcisse.

Au moment de servir, poser délicatement les sapins sur les verrines.

# Marmelade de poires et sablés au chocolat

Pour 6 à 8 verrines

5 poires conférence ou williams

1 gousse de vanille

3 c. à soupe de miel

Sablés au chocolat

110 g de sucre glace

150 g de beurre

1 jaune d'œuf

1 œuf entier

170 g de farine

30 g de cacao en poudre

La veille, préparer la pâte sablée. Mettre dans un saladier le beurre mou,le sucre et mélanger énergiquement en pommade, puis ajouter la farine et le cacao. Pétrir et ajouter enfin l'œuf et le jaune, pétrir à nouveau et laisser reposer au froid toute la nuit.

Éplucher, épépiner et tailler en gros dés les poires. Les cuire à feu moyen avec le miel, un petit verre d'eau et la gousse de vanille fendue en deux pendant 5 à 6 minutes. Mettre au froid.

Préchauffer le four à thermostat 6 (180 °C). Fariner votre plan de travail, étaler la pâte sablée sur une épaisseur de 2,5 mm et tailler des cercles à l'emporte-pièce ou en vous servant d'un verre retourné. Les disposer sur une plaque à pâtisserie et cuire au four pendant 6 à 7 minutes.

Remplir vos verrines avec la marmelade de poires et poser sur le dessus un sablé au chocolat.

CONSEIL Pour gagner du temps sur la préparation, vous pouvez utiliser des sablés au chocolat achetés dans le commerce, le résultat sera, si ce n'est aussi délicieux, du moins tout autant efficace.

# Neuf kits sucrés pour gourmands pressés

## Mikado de fruits frais, crème chocolat

Des Mikado en guise de brochette pour des fruits frais servis avec une verrine de crème chocolat, juste pour le plaisir de tremper... Moi je dis « oui ! »... et vos enfants aussi !

## Litchis au lait de coco et gingembre

Des litchis au sirop, nappés de lait de coco et rehaussés de gingembre confit au vinaigre : une verrine asiatique originale et simple !

## Faisselle aux raisins noirs, crème de cassis

Rien de plus simple que d'associer une faisselle avec des fruits. Eh bien, voilà une idée sympathique : de bons raisins noirs nappés d'une crème de cassis, après un dîner charnu, accompagneront avec facilité la fin d'une bonne bouteille de vin rouge.

## Cookies, crème vanille et caramel

Créer des couches de crèmes vanille, caramel et, pourquoi pas, chocolat, en les séparant à chaque fois avec un cookie. Crème et biscuit se mélangent à merveille !

## Chamallow, fruits frais et coulis

Rigolo et coloré ! Animez l'anniversaire ou le goûter de votre bambin en créant ces verrines alléchantes et vitaminées : des guimauves, des fruits frais et un coulis.

## Yaourt, confiture et Müesli

Déjà vue et archiconnue au petit-déjeuner ou au cours d'un brunch, cette association de laitage, fruits et céréales, à composer soi-même, sera plus brillante, finement assemblée dans une verrine.

## Oranges, cannelle et sablé breton

Une adaptation de la soupe d'oranges à la marocaine : des tranches d'oranges pelées, leur jus additionné de cannelle et de fins sablés bretons.

## Compotes « surprise »

Quelques compotes de fruits différentes, chacune mélangée avec des vermicelles de chocolat, des fruits secs ou des mini-bonbons, et finalement, on en remplit les verrines en couches successives. Miam-miam, les enfants !

## Petits-suisses, crème de marrons et cigarettes russes

Associer avec délicatesse le crémeux du petit-suisse, les châtaignes de l'Ardèche et les cigarettes russes, délicates et friables. Réaliser ainsi une jolie verrine à succès garanti.

## SHOPPING

QUARTZ
12, rue des Quatre-Vents, 75006 Paris
Tél. 01 43 54 03 00

ISKANDAR
10, rue de l'Abbaye, 75006 Paris
Tél. 01 43 25 18 20

CHOMETTE FAVOR
www.chomette.com

MONOPRIX
www.monoprix.fr

BHV
www.bhv.fr

HABITAT
www.habitat.net


## REMERCIEMENTS

Merci à mes parents, qui m'ont donné le goût des bonnes choses.

Merci à Arnaud Lemoine et Christophe Lebegue, mes associés, ainsi qu'à toute l'équipe du Café Noir.

www.cafenoirparis.com

Shopping : Stéphanie Huré



ISBN : 978-2-501-04901-6
Dépôt légal : mars 2009
Imprimé en Chine par 1010 Printing
40.9834.9/18